DEUTSCH ALS F

Schritte plus

1
2

NIVEAU A1

Glossar Deutsch – Englisch
Glossary German – English

bearbeitet von Frank Shaw

Hueber Verlag

Wörter, die für die Prüfungen „Start Deutsch 1/2" und „Deutsch Test für Zuwanderer" (DTZ) nicht verlangt werden, sind kursiv gedruckt.

nur Sg. = Wörter, die ausschließlich oder normalerweise im Singular verwendet werden.

nur Pl. = Wörter, die ausschließlich oder normalerweise im Plural verwendet werden.

| 5. | 4. | 3. | | | Die letzten Ziffern |
| 2019 | 18 | 17 | 16 | 15 | bezeichnen Zahl und Jahr des Druckes. |

Alle Drucke dieser Auflage können, da unverändert, nebeneinander benutzt werden.
1. Auflage
© 2010 Hueber Verlag GmbH & Co. KG, 85737 Ismaning, Deutschland
Textredaktion und Satz: TextMedia, Erdmannhausen
Druck und Bindung: Kessler Druck + Medien GmbH & Co. KG, Bobingen
Printed in Germany
ISBN 978–3–19–071911–2

Art. 530_12071_001_03

Glossar Deutsch – Englisch
zu Schritte plus 1+2

Inhalt

Schritte plus 1

Schritte plus 2

Schritte plus 1
Kursbuch

Lektion 1

Seite 8

an·sehen	to look at
das	that
die	the (with a feminine or plural noun)
die Folge, -n	*series*
das Foto, -s	photo
guten Tag	Good day!
hören	to listen
mein/-e	my
der Name, -n	name
sein (Verb)	to be
Sie	you (polite form)
und	and
wer	who

Seite 9

aus	from
danke	thank you

der	the (with a masculine noun)
heißen	to be called
der Herr, -en	Mr
ich	I
kommen	to come
nein	no
nicht	not
noch einmal	once again
der Papa, -s	daddy
sagen	to say
die Ukraine	*Ukraine*
vielen Dank	thank you very much
wie	how, here: what
zu·ordnen	*to allocate*

Seite 10

der Abend, -e	evening
bei	to
die Frau, -en	woman, here: Mrs
guten Abend	Good evening!
guten Morgen	Good morning!
gute Nacht	Good night!

hallo	hello
in	*in*
international	international
der Kurs, -e	course
die Mama, -s	mum
meine Damen und Herren	*ladies and gentlemen*
die Musik, -en	music
die Nacht, ¨e	night
sprechen	to speak
tschüs	*bye*
die Uhr, -en	o'clock
(das) Wiedersehen; auf Wiedersehen	seeing again; good-bye
willkommen	welcome

Seite 11

das Beispiel, -e; zum Beispiel	example; for example
ein/e	a
die Entschuldigung, -en	excuse, here: I'm sorry
ergänzen	to fill in
es	it
fragen	to ask
das Gespräch, -e	conversation
ja	yes
jetzt	now
die Kollegin, -nen	colleague (female)
schon fertig	already finished
schreiben	to write

spielen	to play
stimmen	to be right
suchen	to look for
der Tag, -e	*day*
wissen	to know
zeigen	to show

Seite 12

(das) Afghanistan	*Afghanistan*
antworten	to answer
dem	the (masculine or neuter dat.)
(das) Deutschland	*Germany*
du	you (familiar form)
freuen	to be glad
der Irak	*Iraq*
der Iran	*Iran*
der Jemen	*Yemen*
(das) Kasachstan	*Kazakhstan*
(das) Kroatien	*Croatia*
(das) Marokko	*Morocco*
(das) Österreich	*Austria*
(das) Russland	*Russia*
die Schweiz	*Switzerland*
der Sudan	*Sudan*
(das) Tunesien	*Tunisia*
die Türkei	*Turkey*
(das) Vietnam	*Vietnam*
woher	where from

aber	but
das Arabisch (nur Sg.)	*Arabic*
auch	also
bisschen: ein bisschen	little: a little
den	the (masculine accusative singular)
das Deutsch (nur Sg.)	*German*
das Englisch (nur Sg.)	*English*
das Französisch (nur Sg.)	*French*
gut	well
das Italienisch (nur Sg.)	*Italian*
das Kroatisch (nur Sg.)	*Croatian*
machen	to make
nur	only
das Persisch (nur Sg.)	*Persian*
das Radio, -s	radio
das Russisch (nur Sg.)	*Russian*
das Serbisch (nur Sg.)	*Serbian*
das Spanisch (nur Sg.)	*Spanish*
die Sprache, -n	language
das Türkisch (nur Sg.)	*Turkish*
das Ukrainisch (nur Sg.)	*Ukrainian*
die USA (nur Pl.)	*USA*
das Vietnamesisch (nur Sg.)	*Vietnamese*
von	from
die Wandzeitung, -en	*newspaper poster*
was	what

das Akkordeon, -s	*accordion*
das Alphabet, -e	alphabet
das Baby, -s	baby
der Buchstabe, -n	letter
der Cent, -s	cent
das Dynamit (nur Sg.)	*dynamite*
der Elefant , -en	*elephant*
die Flöte, -n	*flute*
die Gitarre, -n	guitar
das Insekt, -en	*insect*
der Jaguar, -e	*jaguar*
die Kamera, -s	camera
die Lektion, -en	*lesson*
die Lokomotive, -n	*locomotive*
das Lied, -er	song
markieren	to mark
das Mikrofon, -e	*microphone*
mit	with
mit·sprechen	to say the words
die Natur, -en	*nature*
der Ozean, -e	*ocean*
die Polizei, -en	police
das Quartett, -e	*happy families*
das Saxophon, -e	*saxophone*
die Seite, -n	page
das Telefon, -e	telephone
der Uhu, -s	*owl*

unbekannt	unknown
die Volksmusik, -en	folk-music
das Wort, -e/-̈er	word
das Xylophon, -e	xylophone
das Ypsilon, -s	upsilon
der Zirkus, -se	circus

Seite 15

bitte	please
die Buchstabenmaus, -̈e	letter-mouse
buchstabieren	to spell
da	there
dann	then
die Firma, die Firmen	firm
Ihr/e	your (polite form)
leid·tun	to be sorry
der Moment, -e	moment
raten	to guess
das Spiel, -e	game
das Telefongespräch, -e	telephone conversation
(das) Wiederhören; auf Wiederhören	hearing again; good-bye (telephone only)

Seite 16

die Anmeldung, -en	registration
(das) Deutsch als Fremd-sprache	German as a foreign language

die/das E-Mail, -s	email
der Familienname, -n	surname
das Formular, -e	form
der Geschäftsführer, -	manager
das Haar, -e	hair
die Hausnummer, -n	house number
die Karte, -n	card
die Kursliste, -n	list of people in a course
das Land, -̈er	country
lesen	to read
die Migration (nur Sg.)	migration
die Postleitzahl, -en	post-code
die Stadt, -̈e	town
die Straße, -n	street
tauschen	to exchange
der Verein für Kultur und Migration	Association for Culture and Migration
die Visitenkarte, -n	visiting card
der Vorname, -n	first name

Seite 17

der Abschied, -e	departure
die Aussage, -n	statement
die Begrüßung, -en	welcome
bitten	to ask
danken	to thank
die Frage, -n	question
die Grammatik, -en	grammar

die Herkunft (nur Sg.)	origin
die Konjugation, -en	*conjugation*
die Strategie, -n	*strategy*
das Verb, -en	*verb*
die Wendung, -en	*turn of phrase*
wichtig	important

Seite 18

mit·singen	to sing along
das Training (nur Sg.)	training

Lektion 2

Seite 20

die Familie, -n	family
genau	exactly
meinen	to think

Seite 21

an·kreuzen	to mark with a cross
der Bruder, ⁻	brother
denn	here: then
gehen	to go
leben	to live
die Mutter, ⁻	mother

na	*well*
richtig	right
verstehen	to understand
wo	where

Seite 22

ach	oh
dir	you (familiar dative)
Ihnen	you (polite dative)
oder	or
sehr	very
so	so
super	*super*
die Variante, -n	*variant*
die Zeichnung, -en	*drawing*

Seite 23

die Eltern (nur Pl.)	parents
das Familienfest, -e	family party
die Geschwister (nur Pl.)	siblings
die Großeltern (nur Pl.)	grandparents
die Großmutter, ⁻	grandmother
der Großvater, ⁻	grandfather
hier	here
das Kind, -er	child
die Liste, -n	list
der Mann, ⁻er	husband

die Oma, -s	grandma
der Opa, -s	grandpa
der Partner, -	partner (male)
die Partnerin, -nen	partner (female)
planen	to plan
das Rätsel, -	*riddle*
die Schwester, -n	sister
der Sohn, ⸚e	son
die Tochter, ⸚	daughter
der Vater, ⸚	father

Seite 24

ah	*ah*
(das) China	*China*
er	he
der Freund, -e	friend
haben	to have
der Hase, -n	*hare*
ihr/e	her
(das) Italien	*Italy*
das Kärtchen, -	*card*
lange	for a long time
die Party, -s	party
schon	already
sein/-e	his
sie	she
(das) Togo	*Togo*
(das) Uganda	*Uganda*

variieren	*to vary*
wir	we
wohnen	to live

Seite 25

die Adresse, -n	address
alt	old
das Alter, -	age
aus·füllen	to fill in
der Familienstand (nur Sg.)	marital status
geboren sein	to be born
der Geburtsort, -e	place of birth
geschieden	divorced
das Heimatland, ⸚er	home country
kein	no
ledig	single
nach·sprechen	*to repeat aloud*
das Partnerinterview, -s	*partner interview*
die Personalie, -n	*personal detail*
(das) Portugal	*Portugal*
die Telefonnummer, -n (Abk. Tel.)	telephone number
über	about
verheiratet	married
verwitwet	widowed
welche	which
der Wohnort, -e	place of residence
die Zahl, -en	number

Seite 26

auf	here: in
deutschsprachig	*German-speaking*
einmal	once
falsch	wrong
die Hauptstadt, ¨e	capital
das Jahr, -e	year
die Landkarte, -n	*map*
die Leute (nur Pl.)	people
liegen	to lie
Nord-	North
der Norden (nur Sg.)	the North
der Osten (nur Sg.)	the East
das Quiz, -	*quiz*
Süd-	South
der Süden (nur Sg.)	the South
(das) Syrien	*Syria*
der Westen (nur Sg.)	the West

Seite 27

andere	other
die Angabe, -n	information
das Befinden (nur Sg.)	*state of health*
der Ort, -e	place
die Person, -en	person
der Possessivartikel, -	*possessive article (pronoun)*
vor·stellen	to introduce

Seite 28

alle	all
die Information, -en	information
der Zettel, -	slip

Seite 29

gell	*isn' t that so*
leider	unfortunately
sterben	to die
vor	ago
das Zwischenspiel, -e	*interlude*

Lektion 3

Seite 30

der Apfel, ¨	apple
die Banane, -n	banana
der Einkauf, ¨e	shopping
der Gemüseladen, ¨	greengrocer's
der/das Joghurt, -s	*yoghurt*
kaufen	to buy
kennen	to know
das Landbrot, -e	*country-style bread*
das Mineralwasser, ¨	mineral water
das Obst (nur Sg.)	fruit

das Rindfleisch (nur Sg.)	beef	der Tee, -s	tea
die Sahne (nur Sg.)	cream	der Text, -e	text
das Salz, -e	salt	das Wasser, ¨	water
sehen	to see	der Wein, -e	wine
der Supermarkt, ¨e	supermarket		

Seite 31

brauchen	to need
die Flasche, -n	bottle
für	for
das Getränk, -e	drink
mögen	to like
neu	new
der Sportler, -	sportsman

Seite 33

die Birne, -n	pear
das Brötchen, -	roll
doch	but (at beginning of sentence)
das Ei, -er	egg
die Kartoffel, -n	potato
der Kuchen, -	cake
die Orange, -n	orange
die Tomate, -n	tomato
vielleicht	perhaps

Seite 32

das Bier, -e	beer
das Bild, -er	picture
das Brot, -e	bread
der Fisch, -e	fish
das Fleisch (nur Sg.)	meat
das Gemüse (nur Sg.)	vegetables
der Käse, -	cheese
die Milch (nur Sg.)	milk
noch	still
der Reis (nur Sg.)	rice

Seite 34

der Euro, -s	*euro*
die Flosse, -n	*fin*
heute	today
die Kieme, -n	*gill*
der Korb, ¨e	*basket*
kosten	to cost
der Saft, ¨ e	juice
die Schuppe, -n	*scale*

das Suchbild, -er	puzzle-picture
das Tier, -e	animal
viele	many
das Wörterbuch, ̈er	dictionary

Seite 35

der Becher, -	beaker
die Butter (nur Sg.)	butter
die Dose, -n	tin
der Einkaufszettel, -	shopping-list
fertig	finished
das Gewicht, -e	weight
das Gramm (nur Sg.)	gram
das Jodsalz, -e	iodine salt
der Kaffee, -s	coffee
das Kilo, -s	kilo
die Lebensmittelabteilung, -en	food department
die Maßeinheit, -en	unit of measurement
die Packung, -en	packaging
der Preis, -e	price
der Prospekt, -e	prospectus
die Schinkenwurst, ̈e	sausage containing ham
die Schokolade, -n	chocolate
der Schwarztee, -s	tea (as opposed to other infusions)
das Sonderangebot, -e	special offer

unsere	our
wie viel	how much

Seite 36

alles	everything
der Apfelkuchen, -	apple-cake
backen	to bake
die Bäckerei, -en	bakery
bitte schön	yes (what can I do for you)
ein·kaufen	to go shopping
etwas	something
finden	to find
gern	gladly
helfen	to help
können	to be able
der Kunde, -n	customer (male)
die Kundin, -nen	customer (female)
das Lebensmittel, -	food
mehr	more
die Metzgerei, -en	butcher's shop
der Obstladen, ̈	fruit-shop
das Pfund, -e	pound
das Rollenspiel, -e	role-playing
sonst	otherwise
der Verkäufer, -	salesperson (male)
die Verkäuferin, -nen	salesperson (female)

der Artikel, -	_article_
die Mengenangabe, -n	_indication of quantity_
nach·fragen	_to ask about_
der Negativartikel, -	_negative article_
das Nomen, -	_noun_
der Plural (nur Sg.)	_plural_
der Singular (nur Sg.)	_singular_
unbestimmt	_indefinite_

Seite 38 _____

aha	aha
das Glas, ⸚er	glass
die Hefe, -n	_yeast_
der Hefeteig, -e	_leavened dough_
das Mehl, -e	flour
natürlich	of course
das Rezept, -e	recipe
der Würfel, -	_cube_
zu	to

Seite 39 _____

(das) Indien	_India_
lecker	tasty
die Pizza, -s	_pizza_
sammeln	to collect

Lektion 4

Seite 40 _____

das Bad, ⸚er	bath(room)
groß	large
das Haus, ⸚er	house
klein	small
die Wohnung, -en	flat
das Zimmer, -	room
der Hunger (nur Sg.)	hunger

Seite 41 _____

besser	better
dort	there
der Durst (nur Sg.)	thirst
gefallen	to please
passen	to suit
schmecken	to taste
total	really
die Vorsicht (nur Sg.)	care, here: watch out

Seite 42 _____

der Balkon, -e	balcony
der Flur, -e	hallway
das Kinderzimmer, -	nursery
die Küche, -n	kitchen
mal	just

das Schlafzimmer, -	bedroom
die Toilette, -n	lavatory
das Wohnzimmer, -	living-room
zeichnen	to draw

Seite 43

billig	cheap
breit	wide
dunkel	dark
ganz	quite
hässlich	ugly
hell	bright
das Partnerspiel, -e	*game involving two people*
schmal	narrow
schön	beautiful
teuer	expensive
vergleichen	to compare
verkaufen	to sell

Seite 44

die Badewanne, -n	bathtub
das Bett, -en	bed
blau	blue
braun	brown
die Dusche, -n	shower
die Farbe, -n	colour

der Fernseher, -	TV
gelb	yellow
glauben	to believe
grau	grey
grün	green
der Herd, -e	stove
der Kühlschrank, ̈e	refrigerator
die Lampe, -n	lamp
das Möbel, -	furniture
oben	above
rot	red
der Schrank, ̈e	cupboard
schwarz	black
das Sofa, -s	sofa
der Stuhl, ̈e	chair
der Tisch, -e	table
das Waschbecken, -	*washbasin*
die Waschmaschine, -n	washing-machine
weiß	white

Seite 45

ab	after
die Anzeige, -n	advertisement
das Apartment, -s	apartment
bezahlen	to pay
bis	until
ca. = circa	around

diktieren	*to dictate*
etc. = et cetera	*etc.*
die Garage, -n	garage
die Kaution, -en	*deposit*
m² = der Quadratmeter, -	square metre
die Miete, -n	rent
mieten	to rent
der Mietmarkt, ̈-e	*rented property market*
der Mietpreis, -e	rental cost
möbliert	furnished
die Monatsmiete, -n	*monthly rent*
die Nebenkosten (nur Pl.)	*incidental expenses*
privat	private
der Quadratmeter, -	square metre
der Stock, -werke	storey
TV = der Fernseher, -	*TV*
der Westbalkon, -e	*west-facing balcony*
der Wohnraum, ̈-e	*living-room*
die Wohnungsanzeige, -n	announcement of flat to let

Seite 46

also	well
die Anzeige, -n	advertisement
der Computertisch, -e	computer table
dunkelblau	dark blue
gebraucht	used
das Handy, -s	mobile phone

hoch	high
die Kleinanzeige, -n	*small ad*
lang	long
die Marke, -n	make
der Meter, -	metre
der Schreibtisch, -e	desk
ungefähr	around
der Zentimeter, -	centimetre
zu Hause	at home

Seite 47

beschreiben	to describe
das Missfallen (nur Sg.)	*displeasure*
die Negation, -en	*negation*
das Personalpronomen, -	*personal pronoun*
die Wortbildung, -en	*word-formation*
die Zustimmung, -en	agreement

Seite 48

diese	this
das Elektrogerät, -e	electrical appliance
das Elektrogeschäft, -e	electrical shop
frei	free
der Jubiläumsverkauf, ̈-e	*jubilee sale*
die Kirche, -n	church
die Lampenabteilung, -en	*lighting department*

die Nachricht, -en	news
nie	never
der Optiker, -	*optician*
die Riesenauswahl (nur Sg.)	*huge choice*
das Super-Sonderan-gebot, -e	*super special offer*
die Versicherung, -en	insurance

Seite 49

bald	soon
die Gebr. = Gebrüder (nur Pl.)	*brothers*
die GmbH = Gesellschaft mit beschränkter Haftung	*Limited Company*
Gruß: mit freundlichen Grüßen	greeting: with best wishes
die Immobilie, -n	*property*
der Kollege, -n	colleague
der Monat, -e	month
nach	to
NK = die Nebenkosten (nur Pl.)	incidental expenses
die Personalabteilung, -en	personnel department
der Platz, ̈-e	square
das Regal, -e	shelf

Lektion 5

Seite 50

spielen (mit)	to play with
müde	tired

Seite 51

abends	in the evening
am	in the
arbeiten	to work
auf·stehen	to get up
der Freitag, -e	Friday
das Frühstück, -e	breakfast
die Hausaufgabe, -n	homework
der Laden, ̈	shop
der Montag, -e	Monday
der Morgen, -	morning
morgens	in the morning
der Nachmittag, -e	afternoon
die Schule, -n	school
um	at
der Vormittag, -e	morning

Seite 52

gleich	almost
halb	half

kurz	just
spät	late
die Uhrzeit, -en	*time of day*
das Viertel, -	quarter

Seite 53

an·rufen	to ring up
auf·räumen	to tidy up
fern·sehen	to watch television
früh	early
der Fußball, ⸚e	football
kochen	to cook
das Mittagessen, -	lunch

Seite 54

der Abendkurs, -e	evening class
an·fangen	to begin
der Dienstag, -e	Tuesday
der Donnerstag, -e	Thursday
erst	not until
der Geburtstag, -e	birthday
der Intensivkurs, -e	intensive course
der März, -e	March
der Mittwoch, -e	Wednesday
der Samstag, -e	Saturday
der Sonntag, -e	Sunday

wann	when
warum	why
die Zeit, -en	time

Seite 55

der Arzt, ⸚e	doctor
der Deutschkurs, -e	*German course*
essen	to eat
der Französischkurs, -e	*French course*
gemeinsam	together
das Kino, -s	cinema
nächst-	next
die Stunde, -n	hour
der Termin , -e	appointment
der Terminkalender	appointments diary
die Woche, -n	week
zusammen	together

Seite 56

der Englischkurs, -e	*English course*
der Mittag, -e	midday
morgen	tomorrow
spazieren gehen	to go for a walk
die Tageszeit, -en	*time of day*
wirklich	really

baden	to go for a swim
erzählen	to describe
frühstücken	to have breakfast
jeder	every
das Picknick, -e	picnic
schlecht	bad
der Traumtag, -e	ideal day
trinken	to drink

Seite 58

die Agentur für Arbeit	*employment agency*
die Arbeit, -en	work
die Arztpraxis, -praxen	*medical practice*
der Bahnhof, ⁻e	railway station
der Dr. = Doktor, -en	*Dr. (doctor)*
das Fitness-Studio, -s	fitness studio
der Friseursalon, -s	hairdresser's salon
die Geschäftszeit, -en	*business hour*
die Hansestadt, ⁻e	*Hanseatic town*
offiziell	official
öffnen	to open
die Öffnungszeit, -en	*opening-time*
die Praxis, Praxen	practice
das Schild, -er	sign
die Sprechstunde, -n	consulting hour
die Touristeninformation, -en	tourist information

Seite 59

der Hauptsatz, ⁻e	main clause
die Präposition, -en	*preposition*
temporal	*temporal*
trennbar	*separable*
die Verabredung, -en	arrangement to meet
die Vorliebe, -n	*preference*

Seite 60

bringen	to bring
holen	to fetch
der Kindergarten, ⁻	kindergarten
die Kinderkrippe, -n	*nursery school*
stellen	to put

Seite 61

das Buch, ⁻er	book
einfach	simply
endlich	finally
der Ex-Mann, ⁻er	*ex-husband*
die Freundin, -nen	girl friend
mich	me
(das) Norddeutschland	*North Germany*
die Notiz, -en	notice
schlafen	to sleep
seit	for

wieder	again
das Wochenende, -n	weekend

Lektion 6

Seite 62

die Cola, -/-s	coke
die Freizeit, -en	free time
der Garten, ¨	garden
der Grill, -s	grill
die Kohle, -n	*charcoal*
der Park, -s	park
regnen	to rain
scheinen	to shine
die Sonne, -n	sun
das Wetter, -	weather

Seite 63

der Apfelsaft, ¨e	apple juice
dabei	with her
das Essen, -	meal
italienisch	*Italian*
mit·bringen	to bring along
der Salat, -e	lettuce

Seite 64

bewölkt	*overcast*
circa	around
(das) England	*England*
der Frühling, -e	spring
gar nicht	not at all
(der) Grad, -e	*degree*
gucken	*to look*
der Herbst, -e	autumn
kalt	cold
das Klassenplakat, -e	*classroom poster*
minus	*minus*
schneien	to snow
der Sommer, -	summer
(das) Spanien	*Spain*
warm	when
windig	windy
der Winter, -	winter

Seite 65

die Currywurst, ¨e	*curry sausage*
die Grillparty, -s	grill party
die Gulaschsuppe, -n	*goulash soup*
das Käsebrot, -e	cheese sandwich
oh!	*oh!*
der Orangensaft, ¨e	orange juice
die Salami, -s	*salami*

die Speise, -n	*food, meal*
die Speisekarte, -n	menu
das Wurstbrot, -e	sausage sandwich
die Zitronenlimonade, -n	lemonade

Seite 66

das Deutschbuch, ⁻er	*German grammar*
das Eis, -	ice
der Hund, -e	dog
der Kugelschreiber, -	ball-point
das Lerntagebuch, ⁻er	*learning programme*
das Picknickwetter (nur Sg.)	picnic weather

Seite 67

afrikanisch	*African*
das Boxen (nur Sg.)	*boxing*
der Brief, -e	letter
der Brieffreund, -e	pen-pal
dein/-e	your (familiar form)
fahren	here: to ride
das Fahrrad, ⁻er	bicycle
folgend-	following
geben	to give
grillen	to grill
das Hobby, -s	hobby
japanisch	*Japanese*
(das) Kambodscha	*Cambodia*

das Karate (nur Sg.)	*karate*
das Lieblingsbuch, ⁻er	favourite book
der Lieblingsfilm, -e	favourite film
die Lieblingsmusik, -en	favourite music
mir	to me
schwimmen	to swim
schreiben (an)	*to write to*
der Sport (nur Sg.)	sport
tanzen	to dance
treffen	to meet
die Welt, -en: aus aller Welt	world: from all over the world

Seite 68

erreichen	to reach
maximal	at the most
meist	mostly
minimal	*at the lowest*
die Prognose, -n	*prognosis*
der Regen (nur Sg.)	rain
(das) Sachsen	*Saxony*
sinken	to fall
der Sonnenschein (nur Sg.)	*sunshine*
sonnig	*sunny*
stark	strong
steigen	to rise
die Temperatur, -en	temperature
überall	everywhere

viel	much
der Wert, -e	value
West-	West
der Wind, -e	wind
zwischen	between

Seite 69

der Akkusativ, -e	*accusative*
bestimmt	definite

Seite 70

allein	alone
der Club, -s	club
der Gesangverein, -e	*choral society*
die Harmonie, -n	*harmony*
nämlich	actually
das Schach (nur Sg.)	*chess*
der Schachverein, -e	*chess club*
singen	to sing
der Sportverein, -e	*sports club*
der Tanzverein, -e	*dancing club*
der Verein, -e	club

Seite 71

der Musikverein, -e	music society
interessant	interesting

o Mann!	*oh boy!*
der Tomatensaft, ⁻e	tomato-juice

Lektion 7

Seite 72

das Diktat, -e	*dictation*
das Fieber (nur Sg.)	temperature
krank	ill
die Lehrerin, -nen	teacher (female)
soso!	*so-so*
wollen	to want

Seite 73

nach Hause	home
der Satz, ⁻e	sentence

Seite 74

die Gruppe, -n	group
der Handstand, ⁻e	handstand
jonglieren	*to juggle*
der Lehrer, -	teacher
das Problem, -e	problem
reiten	to ride
verbinden	to combine

Seite 75

der Basketball, ⸚e	*basket-ball*
besuchen	to visit
bilden	*to form*
die Fotografie , -n	photography
die Informatik (nur Sg.)	*IT (= information techno-logy)*
lebend	*living*
lernen	to learn
malen	to paint
die Politik, -en	politics
das Schuljahr, -e	*school year*
die Schulzeitung, -en	*school newspaper*
sicher	certainly
der Tanz, ⸚e	dance
das Theater, -	theatre
der Wahlkurs, -e	*optional course*
die Zeitung, -en	newspaper

Seite 76

(das) Afrika	*Africa*
früher	earlier
gestern	yesterday
der Hardrock (nur Sg.)	*hard rock*
der Junge, -n	boy
das Mädchen, -	girl
nichts	nothing

die Übung, -en	practice
der Unterricht, -e	class

Seite 77

danach	afterwards
der Kilometer, -	kilometre
die Salsa (nur Sg.)	*salsa*
schade	*pity*

Seite 78

der Abschnitt, -e	*section*
der Ausflug, ⸚e	excursion
besondere	special
der Bus, -se	bus
der Deutschunterricht (nur Sg.)	*German lesson*
diesmal	this time
hoffentlich	I hope that
die Klasse, -n	class
der Klassenlehrer, -	form teacher
die Kommunikation, -en	communication
lieb	*dear*
das Schwimmbad, ⸚er	*swimming-pool*
der See, -n	lake
das Sekretariat, -e	*office*
die Sprachschule, -n	*language school*
teil·nehmen	to take part

22

Seite 79

entschuldigen	to excuse
die Fähigkeit, -en	*ability*
das Modalverb, -en	*modal verb*
der Vorschlag, ⸚e	suggestion
der Wunsch, ⸚e	wish

Seite 80

brr!	*brr!*
hey!	*hey!*
hopp!	*hopp!*
langsam	slow
los	off you go
Moment mal	*Hold on a minute!*
oje!	oh dear!
schnell	quick
toll	*wicked*
ui!	*cor!*
wohl	*probably*

Seite 81

der Ausruf, -e	*exclamation*
aus·sehen	to look (like)
aus·suchen	to select
boah!	*good heavens!*
das Haustier, -e	pet

igitt!	*eek!*
man	one
negativ	*negative*
oh Gott!	*my God!*
pfui!	*fui!*
positiv	positive
riechen	to smell
selbst	*yourself*
so was	*something like that*
solche	such
unglaublich	unbelievable
vor·spielen	*to act out*
wahr	true

Fragebogen

Seite 82

der Fragebogen (Sg.)	*questionnaire*

Arbeitsbuch

Lektion 1

Seite 87

die Betonung, -en	*emphasis*
herzlich willkommen	welcome
die Satzmelodie, -n	*sentence rhythm*

Seite 88

das Satzzeichen, -	*punctuation mark*

Seite 89

(das) Algerien	*Algeria*
entdecken	to discover
(das) Polen	*Poland*
das Polnisch	*Polish*

Seite 90

die Form, -en	form
unterstreichen	to underline

Seite 91

das Europa (nur Sg.)	*Europe*
korrigieren	to correct

Seite 92

notieren	*to note down*
das Portfolio, -s	*portfolio*
das Schreibtraining (nur Sg.)	*training in writing*

Seite 93

der Briefumschlag, ¨e	envelope
das Projekt, -e	project

Seite 94

der Lernwortschatz (nur Sg.)	vocabulary to be learnt

Lektion 2

Seite 96

die Phonetik (nur Sg.)	*phonetics*

Seite 98

klopfen	to knock
der Rhythmus, die Rhythmen	rhythm

Seite 99

(das) Frankreich	*France*
der Pfeil, -e	*arrow*

Seite 100

(das) Griechenland	*Greece*
der Libanon	*Lebanon*

Seite 101

studieren	to study

Seite 104

der Atlas, die Atlasse/ die Atlanten	*atlas*
das Bundesland, ̈er	*Federal State*
der Fluss, ̈e	*river*
grüezi	*hello (Swiss dialect)*
grüß Gott	*hello (South German or Austrian dialect)*
Moin Moin	*hello (North German dialect)*
salü	*salutation, either greeting or leave-taking (Swiss dialect)*
servus	*salutation, either greeting or leave-taking (South German or Austrian dialect)*

Lektion 3

Seite 108

(das) Süddeutschland	*South Germany*

Seite 109

ein·tragen	*to insert*
der Rotbusch-Tee, -s	*rooibos tea*

Seite 110

die Antwort, -en	answer

Seite 113

das Plakat, -e	*poster*
die Tabelle, -n	table

Seite 114

der Hering, -e	*herring*
das Rundstück, -e	*roll (Hamburg dialect)*
die Schrippe, -n	*roll (Berlin dialect)*
die Semmel, -n	*roll (Bavarian and Austrian dialect)*
der Wecken, -	roll (South German and Austrian dialect)

Seite 115

der Liter, -	litre
das Produkt, -e	produce
die Spaghetti (nur Pl.)	*spaghetti*
die Wurst, ̈e	sausage

Lektion 4

pro	per
der Schokoladenkuchen, -	chocolate cake
tun	to do

Seite 121

das Arbeitszimmer, -	work-room
das Gegenteil, -e	*opposite*
(das) Mexiko	*Mexico*
stopp	*stop*

Seite 122

fehlen	to be missing
feminin	*feminine*
der Küchenschrank, ¨e	kitchen cupboard
die Maschine, -n	machine
maskulin	*masculine*
neutral	*neuter*
waschen	to wash
die Weinflasche, -n	wine-bottle

Seite 123

modern	*modern*
die Terrasse, -n	terrace

Seite 124

die Nummer, -n	number
der Sprachkurs, -e	*language course*
die Wortliste, -n	*word-list*

Seite 125

bedeuten	to mean
die EBK = Einbauküche, -n	*fitted kitchen*
die Heizung, -en	heating
inkl. = inklusive	inclusive
die Kaltmiete, -n	*rent (excluding heating)*
KT = die Kaution, -en	deposit
das Lösungswort, ¨er	puzzle word
sofort	immediately
TG = die Tiefgarage, -n	*basement garage*
vermieten	to let
die Warmmiete, -n	*rent (including heating)*
Whg = die Wohnung, -en	flat
Zi = das Zimmer, -	*room*

Seite 126

bequem	comfortable
die Breite, -n	width
der Esstisch, -e	dining-table
der Fernsehtisch, -e	TV table
französisch (Abk. franz.)	*French*
die Höhe, -n	*height*

die Idee, -n	idea
das Kinderbett, -en	child's bed
der Kleiderschrank, ⸚e	wardrobe
komplett	complete
das Leder, -	leather
links	left
die Matratze, -n	*mattress*
das Metall, -e	*metal*
rund	round
der Sessel, -	armchair
tief	deep
...türig (z. B. viertürig)	*...-door (e.g. four-door)*
die Verhandlungsbasis, -en	*basis for negotiation*
VHB = die Verhandlungs- basis, -basen	*basis for negotiation*
der Wohnzimmerschrank, ⸚e	living-room cupboard

Seite 127

prima	first-rate
die SMS, -	text-message
viele Grüße	Best Wishes

Lektion 5

Seite 131

denken	to think
der Gruß, ⸚e	greeting
O.K. = okay	OK

Seite 133

der Sonnabend, -e	*Saturday*

Seite 134

anders	differently
der Tanzkurs, -e	*dance-course*

Seite 135

der Obstkuchen, -	fruit-cake

Seite 136

das Fernsehprogramm, -e	TV programme
die Geburtstagsparty, -s	birthday-party
geheim	secret
der Millionär, -e	*millionaire*
die Quizshow, -s	*quiz show*
das Sportstudio, -s	*sports studio*
streng	strictly

Seite 137

die Kasse, -n	*till*

Lektion 6

Seite 140

Gruß: liebe Grüße	greeting: best wishes
plus	*plus*
unter	below
der Urlaub, -e	holiday

Seite 142

der Großmarkt, ⸚e	*wholesale market*

Seite 143

der Badeanzug, ⸚e	*swim-suit*
der Einkaufswagen, -	*supermarket trolley*
mit·nehmen	to take along
nehmen	to take
schwer	heavy
der Sportschuh, -e	*sports shoe*
weiter	further
wen	whom
der Zucker, -	sugar

Seite 144

erklären	to explain
der Nudelsalat, -e	noodle salad
wiederholen	to repeat
zusammen·setzen	*to put together*

Seite 145

das Auto, -s	car
eben	then (at beginning of sentence)
die Schokomilch (nur Sg.)	*choco-milk*

Seite 146

bis dahin	*until then*
der Computer, -	computer
dich	you (accusative of familiar form)
einige	some
ein·laden	to invite
hoffen	to hope
paar	few
sitzen	to sit
zuerst	at first

Seite 147

die Freizeitaktivität, -en	leisure activity
surfen: im Internet surfen	*to surf; to surf the internet*
wandern	to hike
das Internet (nur Sg.)	internet

Seite 148

der Volleyball, ⸚e	*volley-ball*

der Dank (nur Sg.)	thanks
die Einladung, -en	invitation
feiern	to celebrate
wahrscheinlich	probably

Lektion 7

Seite 152

| das Instrument, -e | instrument |

Seite 154

kaputt	broken
die Klassenparty, -s	class party
das Rad, ¨er	bicycle
das Stück, -e	piece

Seite 155

das Geld, -er	money
der Italienischkurs, -e	*Italian course*
die Tasse, -n	cup

Seite 157

| bis bald | see you soon |
| *so viele* | *so many* |

Seite 159

gehören	to belong
herzliche Grüße	best wishes
der Kursleiter, -	course-leader (male)
die Kursleiterin, -nen	course-leader (female)
der Schultag, -e	*school day*
die Schultüte, -n	*large conical bag of sweets given to children on their first day at school*

Fokus-Seiten

Seite 162

| der Alltag (nur Sg.) | everyday life |
| *der Fokus, -se* | *focus* |

Seite 163

an·melden	to announce
der Anmeldeschein, -e	*application form*
die CD, -s	CD
die CD-ROM, -s	CD-ROM
das Datum, die Daten	date
die DVD, -s	DVD
entleihen	*to borrow*
erlauben	to allow
der Erziehungsberechtigte, -n	parent or guardian

das Geburtsdatum, die Geburtsdaten	date of birth
der Jugendliche, -n	juvenile
die Kassette, -n	cassette
die Literatur, -en	*literature*
männlich	male
das Medium, die Medien	*medium*
die Nationalität, -en	*nationality*
der Schülerausweis, -e	*student card*
die Stadtbibliothek, -en	town library
die Unterschrift, -en	signature
das Video, -s	*video*
weiblich	female
die Zeitschrift, -en	*journal*

Seite 164

der April, -e	April
fett	fat
gekühlt	*cooled*
haltbar (bis)	best before
herstellen	to produce
iTr = in der Trockenmasse	*in dry state*
kühl	cool
die Kuhmilch (nur Sg.)	cow's milk
lagern	*to keep*
mindestens	*at least*
das Nettogewicht, -e	*net weight*
pasteurisiert	*pasteurized*

die Produktinformation, -en	*product information*
der Weichkäse, -	*soft cheese*

Seite 165

das Asia-Gemüse (nur Sg.)	*Asia Vegetables (name of firm)*
das Asia-Produkt, -e	*Asian product*
asiatisch	*Asiatic*
die Bank, -en	bank
der Bankeinzug, ̈-e	*amount collected by bank*
die Bankleitzahl, -en	bank code
bestellen	to order
die Bestellung, -en	order
das Currypulver, -	*curry powder*
das Detail, -s	*detail*
der Esslöffel, -	Tablespoon
gemischt	*mixed*
die Gemüse-Mischung, -en	vegetable mixture
gültig	valid
das Ingwerpulver, -	*ground ginger*
das Internet-Formular, -e	internet form
die Karten-Nr. = Karten-Nummer, -n	*card-number*
die Kokosmilch (nur Sg.)	*cocoanut milk*
das Kokosmilchpulver, -	*cocoanut milk powder*
das Konto, die Konten	account
der Kontoinhaber, -	*account holder*
die Konto-Nr. = Konto-Nummer, -n	account number

die Kreditkarte, -n	credit card
die Menge, -n	quantity
das Sojaöl, -e	*soya oil*
die Sojasoße, -n	*soya sauce*
die Suppe, -n	soup
der Teelöffel, -	teaspoon
TL = der Teelöffel, -	*teaspoon*
wählen	to choose
die Zahlungsmethode, -n	*method of payment*
die Zahlungsweise, -n	*manner of payment*

Seite 166

die Aufgabe, -n	task
das Fahrzeug, -e	vehicle
das Fenster, -	window
die Hausordnung, -en	house rules
die Haustür, -en	front door
die Kellertür, -en	cellar door
der Lärm (nur Sg.)	noise
laut	loud
offen	open
der Ölwechsel, -	*oil-change*
der Rasen, -	*lawn*
die Ruhe (nur Sg.)	quiet
schließen	to close
die Sicherheit, -en	security
der Spielplatz, ¨e	play area
das Treppenhaus, ¨er	*staircase*

das Treppenhausfenster, -	*staircase window*
die Tür, -en	door
usw. = und so weiter	*etc.*
verbieten	to forbid
die Zimmerlautstärke, -n	*room volume*

Seite 167

betragen	*to amount to*
gesamt	total
der Januar, -e	January
der Kontoauszug, ¨e	*account statement*
der Mietvertrag, ¨e	lease
monatlich	*monthly*
die Stadtwerke (nur Pl.)	*council office*
der Strom, ¨e	electricity
die Vorauszahlung, -en	*payment in advance*

Seite 168

die Arbeitsagentur, -en	*job agency*
der Basiskurs, -e	*basis course*
die Fahrschule, -n	driving school
der Integrationskurs, -e	integration course
klar	clear
das Konsulat, -e	consulate
die Kursleitung, -en	*course-leader*
der Kursteilnehmer, -	course participant (male)
die Kursteilnehmerin, -nen	course participant (female)

die Ordnung, -en	order
per	*by*
die Prüfungsvorberei- *tung, -en*	*exam preparation*
der Raum, ¨e	room
die Situation, -en	situation
der Wochenendkurs, -e	*weekend course*
der Wochentag, -e	weekday

Seite 169

das Amt, ¨er	office
betreuen	to care for
die Betreuung, -en	care
der Betreuungsplatz, ¨e	*care-place*
der Hort, -e	*day-home*
die Hortgruppe, -n	*day-home group*
die Institution, -en	*institution*
die Jugend (nur Sg.)	youth
die Kinderbetreuung, -en	child-care
die Krippe, -n	*crèche*
die Krippengruppe, -n	*crèche-group*
das Leben, -	life
meist-	most
die Möglichkeit, -en	possibility
der Pädagoge, -n	*pedagogue*
das Schulkind, -er	*schoolchild*
die Tagesmutter, ¨	*day-mother*
uns	us

Seite 170

der Arbeitsauftrag, ¨e	*work schedule*
der Auftraggeber, -	client
der Beruf, -e	profession
der Boden, ¨en	floor
das Büro, -s	office
der Direktor, -en	director
die Grundschule, -n	*primary school*
das Klassenzimmer, -	classroom
der Laufzettel, -	*docket*
leeren	*to empty*
das Lehrerzimmer, -	teachers' room
der Mitarbeiter, -	colleague
der Papierkorb, ¨e	*waste-paper basket*
putzen	to clean
schriftlich	in writing
der Sonderwunsch, ¨e	*special wish*
städtisch	municipal
staub·saugen	*to vacuum*
wischen	*to wipe*

Seite 171

das Angebot, -e	offer
an·klicken	*to click on*
die Anweisung, -en	*instruction*
drucken	to print
durch	through
der Kontakt, -e	contact

kontaktieren	to contact	die Hilfe, -n	help
mit·fahren	to go along with	hin·gehen	to go (to a place)
senden	to send	das Institut, -e	institute
die Suche, -n	search	die Integration (nur Sg.)	integration
das Suchergebnis, -se	result of search	intensiv	intensive
wohin	where (to)	die Kleingruppe, -n	small group
der Zug, ⸚e	train	kostenlos	free of charge
zurück	back	die Lerngruppe, -n	learning group
		das Lernproblem, -e	problem with learning

Seite 172

die Besserung: gute Besserung (nur Sg.)	improvement: get well soon
der Chef, -s	boss
(sich) krank·melden	to report sick
(sich) melden	to report
telefonisch	by phone
zwei: zu zweit	two; in pairs

Seite 173

ausländisch	foreign
bekommen	to receive
die Beratung, -en	counselling
bleiben	to stay
die Einzelstunde, -n	individual lesson
der Einzelunterricht (nur Sg.)	individual tuition
das Fach, ⸚er	subject
die Hausaufgabenbe-treuung, -en	supervision of homework

die Mathematik (nur Sg.)	mathematics
die Nachhilfe (nur Sg.)	coaching (sing.)
das Nachhilfeinstitut, -e	coaching institute
die Nachhilfeschule, -n	private tuition school
nachmittags	in the afternoon
der Probeunterricht (nur Sg.)	trial tuition
der Schüler, -	pupil (male)
die Schülerin, -nen	pupil (female)
die Schulklasse, -n	school class
der Teilnehmer, -	participant
übernehmen	to take over
unterstützen	to support
weitere	further
zweimal	twice

Schritte plus 2
Kursbuch

Lektion 8

Seite 8

die AG = Aktiengesell-schaft, -en	joint-stock company
die Chefin, -nen	boss (female)
die Deutschlehrerin, -nen	German teacher (female)
der Deutschtest, -s	German test
der Dreher, -	lathe operator
der Formenbau (nur Sg.)	mould manufacture
der Mechaniker, -	mechanic
der Meister, -	master craftsman
der Metallfacharbeiter, -	skilled metal-worker
der Schweißer, -	welder
der Stift, -e	pen
der Stiftehalter, -	pen-holder
vereinbaren	to arrange
verschieden	different
das Vorstellungsgespräch, -e	job interview
das Werk, -e	factory
die Werkstatt, ⁝en	workshop
der Werkzeugbau (nur Sg.)	tool construction

Seite 9

arbeitslos	unemployed
langweilig	boring

Seite 10

als	as
der Bauarbeiter, -	builder
der Busfahrer, -	bus-driver (male)
die Busfahrerin, -nen	bus-driver (female)
die Hausfrau, -en	housewife
der Hausmann, ⁝er	houseman
der Kaufmann, die Kaufleute	tradesman
der Krankenpfleger, -	hospital orderly
die Krankenschwester, -n	nurse
der Polizist, -en	policeman
der Programmierer, -	programmer (male)
die Programmiererin, -nen	programmer (female)
die Studentin, -nen	student (female)
zurzeit	at the moment
die Kauffrau, -en	tradeswoman

Seite 11

der Chef, -s	boss
der Computerspezialist, -en	computer specialist
das Diplom, -e	diploma
der Monat, -e	month
(sich) vorstellen	to introduce oneself

Seite 12

eigentlich	actually
die Geburt, -en	birth
das Geschenk, -e	present
die Gratulation, -en	*congratulation*
heiraten	to marry
der IC = InterCity, -s	*intercity train*
das Interview, -s	interview
das Kursalbum, -alben	*course album*

Seite 13

manchmal	sometimes
die Metallfirma, -firmen	*metal firm*
die Stelle, -n	position
traurig	sad

Seite 14

der Arbeiter, -	worker
der Berg, -e	mountain
(das) Bulgarien	*Bulgaria*
das Dorf, ̈er	village
die Feier, -n	celebration
das Fest, -e	festival
glücklich	happy
die Heimat	home
die Hochzeit, -en	wedding

die Lebensgeschichte, -n	*life-story*
die Leidenschaft, -en	*passion*
letzt-	last
das Lieblingsfoto, -s	favourite photo
das Meer, -e	sea
der Partyservice, -s	party service
die Reise, -n	journey
der Stress (nur Sg.)	stress
(das) Tschechien	*Czech Republic*

Seite 15

ambulant	*outpatient*
die Arbeitsstelle, -n	work-place
die Arbeitszeit, -en	*working hours*
dringend	urgently
erforderlich	required
die Festanstellung, -en	*permanent appointment*
der Fleischverkäufer, -	meat salesman
freundlich	friendly
der Führerschein, -e	driving licence
die Gebäudereinigung, -en	*here: cleaning contractors*
gerade	at the moment
das Geschäft, -e	business
der Job, -s	job
jung	young
der Kellner, -	waiter
die Kenntnisse (Pl.)	knowledge
das Krankenhaus, ̈er	hospital

die Massagepraxis, -praxen	massage practice
momentan	at the moment
oft	often
das Personalmanagement, -s	personnel management
der Pflegedienst, -e	care service
der Pfleger, -	carer
die Putzhilfe, -n	help with cleaning
das Restaurant, -s	restaurant
die Sekretärin, -nen	secretary
selbstständig	independent
die Stellenanzeige, -n	small ad in the employment section of a newspaper
der Stellenmarkt, ¨-e	employment market
der Student, -en	student
das Taxi, -s	taxi
der Taxifahrer, -	taxi-driver (male)
die Taxifahrerin, -nen	taxi-driver (female)
der Traumberuf, -e	dream profession
übl. = übliche	usual
die Universität, -en	university
die Unterlagen (Pl.)	documentation
verdienen	to earn
zuverl. = zuverlässig	reliable

Seite 16

die Autowerkstatt, ¨-en	garage
bis morgen	until tomorrow
der Hausmeister, -	concierge

die Hausverwaltung, -en	house management
die Minute, -n	minute
Tel. = die Telefonnummer, -n	telephone number
tlw. = teilweise	partially
der Verdienst, -e	wages
die Wohnanlage, -n	residential block

Seite 17

lokal	local
modal	modal
die Nachsilbe, -n	suffix
die Polizistin, -nen	policewoman
das Präteritum (nur Sg.)	preterite

Seite 18

der Automechaniker, -	car mechanic
die Hand, ¨-e	hand
der Hotelchef, -s	hotel manager

Lektion 9

Seite 20

die Behörde, -n	local government office
das Papier, -e	paper
die Post (nur Sg.)	post-office

Seite 21

ein·ziehen	to move in
das Einzugsdatum, -daten	*possession date*
innerhalb	within
um·ziehen	to move house
vorher	previously
das Geschlecht, -er	sex

Seite 22

das Abendessen, -	evening meal
ab·geben	to hand in
aus·wählen	to select
der Beamte, -n	official
danach	afterwards
draußen	outside
die/der Erwachsene, -n	adult
die Fahrkarte, -n	ticket
der Fahrkartenautomat, -en	ticket machine
generell	*in a general sense*
leise	quiet
das Meldeformular, -e	registration form
müssen	to have to
ordnen	to arrange
der Schluss, ¨e	conclusion
speziell	in a specific sense
stempeln	*to stamp*
unterschreiben	to sign

warten	to wait
das Wechselgeld (nur Sg.)	change
ziehen	to draw
das Ziel, -e	aim

Seite 23

aus·machen	to switch off
der Gameboy, -s	*gameboy*
immer	always
das Mistwetter (nur Sg.)	*lousy weather*
nach·sehen	to look
der Pass, ¨e	passport
der Ratschlag, ¨e	(piece of) advice
weiter·gehen	to carry on
zu·hören	to listen
zu·machen	to close
zusammen·bleiben	to stay together

Seite 24

der Alkohol, -e	alcohol
dürfen	to be allowed
fotografieren	to photograph
he	*hey*
das Hotel, -s	hotel
mit·kommen	to come along
das Museum, die Museen	museum
parken	to park

rauchen	to smoke
telefonieren	to telephone
die Zigarette, -n	cigarette

Seite 25

auf·heben	to dissolve
der August, -e	August
berufstätig	employed
bisherige	*previous*
dauernd	permanently
die/der Deutsche, -n	*German*
der Dezember, -	December
der Februar, -e	February
der Geburtsname, -n	name at birth
getrennt lebend	living separately
ggf. = gegebenenfalls	*as appropriate*
griechisch	*Greek*
die Hauptwohnung, -en	principal residence
der Juli, -s	July
der Juni, -s	June
die Lebenspartnerschaft, -en	*partnership for life*
der Mai, -e	May
die Meldebehörde, -n	registrar's office
die Nebenwohnung, -en	*second address*
der November, -	November
der Oktober, -	October
der September, -	September

die Staatsangehörigkeit, -en	nationality
unten	below

Seite 26

die/der Angehörige, -n	dependant
der Antrag, ⁼e	application
der Arbeitsplatz, ⁼e	place of work
die Auskunft, ⁼e	information
der Ausländer, -	foreigner
das Ausländeramt, ⁼er	aliens' office
das Dokument, -e	*document*
die Ehefrau, -en	wife
die Erklärung, -en	explanation
die Forelle, -n	*trout*
der Gast, ⁼e	guest
das Geburtsland, ⁼er	*country of origin*
die Kellnerin, -nen	waitress
nicht wahr?	*isn't that so?*
der Sekretär, -e	secretary
Wie bitte?	I'm sorry?

Seite 27

gliedern	*to structure*
der Imperativ, -e	*imperative*
das Pronomen, -	*pronoun*
zum Schluss	*in conclusion*

die Ausländerbehörde, -n	aliens' office
ausländisch	foreign
der Ausweis, -e	ID
der Besucher, -	visitor
das Besuchervisum, -visa	visitor's visa
die Botschaft, -en	embassy
die/der Botschaftsan-	*embassy employee*
gehörige, -n	
der Chat, -s (engl.)	chat
damit	with it
deutsch	*German*
der Dolmetscher, -	*interpreter*
der Einkommensnachweis, -e	*proof of income*
die Einreiseerlaubnis, -se	*entry permit*
kennen·lernen	to get to know
die Lohnsteuerkarte, -n	*tax card*
(das) Madagaskar	*Madagascar*
nett	nice
der Personalausweis, -e	ID
die Reisekrankenver-	*travel insurance against*
sicherung, -en	*sickness*
der Reisepass, ⁼e	passport
die Tageszeitung, -en	*daily paper*
der Terminkalender, -	appointment calendar
die Verpflichtungser-	*statement of obligation*
klärung, -en	
das Visum, die Visa	visa

die Ankunft, ⁼e	arrival
die Beamtin, -nen	official (female)
das Glück (nur Sg.);	luck; fortunately
zum Glück	
die Krankenversicherung, -en	health insurance
ohne	without
wenn	if
werden	to become

Lektion 10

das Bein, -e	leg
die Gesundheit (nur Sg.)	health
der Knochen, -	bone
die Krankheit, -en	illness
lachen	to laugh
der Verband, ⁼e	bandage
die Versichertenkarte, -n	insurance card
weh·tun	to hurt

der Arbeitgeber, -	employer
die Arzthelferin, -nen	*receptionist*
gebrochen	broken

die Krankmeldung, -en	sick-note
passieren	to happen
die Salbe, -n	ointment
stehen	to stand
der Unfall, ⏑e	accident

Seite 32

der Arm, -e	arm
das Auge, -n	eye
der Bauch, ⏑e	stomach
dick	swollen
der Finger, -	finger
der Fuß, ⏑e	foot
gegen	against
der Hals, ⏑e	neck
das Kettenspiel, -e	*sequence game*
der Kopf, ⏑e	head
der Mensch, -en	person
der Mund, ⏑er	mouth
die Nase, -n	nose
das Ohr, -en	ear
der Rücken, -	back
schlimm	bad
der Schmerz, -en	pain

Seite 33

euer	your (familiar plural)
Gott sei Dank!	Thank God!

mit·zeichnen	*to draw (along with someone)*
das Monster, -	*monster*
das Monsterspiel, -e	*monster game*
der Ohrenschmerz, -en	earache
schmutzig	dirty

Seite 34

der Anrufer, -	*caller*
die Apotheke, -n	chemist's
der Doktor, -en	doctor
das Gesundheitsproblem, -e	*health problem*
das Gesundheitstelefon, -e	*telephone calls about health*
der Gesundheits-Tipp, -s	*health tip*
der Halsschmerz, -en	sore throat
die Medizin (nur Sg.)	medicine
der Rat, -schläge	advice
der Rückenschmerz, -en	back pain
ruhig	quiet
sollen	to be expected to
die Tablette, -n	tablet

Seite 35

der Absender, -	sender
anbei	*enclosed*
die Anrede, -n	form of address
das Arbeitsblatt, ⏑er	*worksheet*
auf·schreiben	to list

der Betreff, -e	reference
der Empfänger, -	recipient
mit·geben	to give (along with other things)
die Reihenfolge, -n	sequence
sehr geehrte	dear

Seite 36

der Arzttermin, -e	doctor's appointment
der Friseur, -e	hairdresser
der Friseurtermin, -e	hairdresser's appointment
hm	hm
die Innere Medizin (nur Sg.)	internal medicine
die Krankengymnastik (nur Sg.)	physiotherapy
mal sehen	let's see
nach Vereinbarung	by appointment
die Sprechzeiten (nur Pl.)	surgery hours
die Terminverein- barung, -en	arranging an appointment
übermorgen	the day after tomorrow
vorbei·kommen	to call in

Seite 37

die Handlungsan- weisung, -en	instructions for treatment

Seite 38

die Achtung (nur Sg.)	warning
die Ambulanz, -en	outpatients' department
der Anruf, -e	phone call
die Autobahn, -en	motorway
der Autounfall, ⁻e	car accident
beantworten	to answer
dorthin	there
eigen-	own
der EU-Staat, -en	EU state
der Fehler, -	mistake
der Helfer, -	helper
jederzeit	at any time
die Klinik, -en	clinic
der Motorradunfall, ⁻e	motorbike accident
neben	near
der Notarzt, ⁻e	emergency doctor
der Notdienst, -e	emergency service
der Notfall, ⁻e	emergency
die Nothilfe, -n	help in an emergency
das Nothilfe-System, -e	emergency help service
der Notruf, -e	emergency call
die Notrufsäule, -n	telephone for emergency calls
passend	suitable
plötzlich	sudden
regional	regional
der Regionalteil, -e	regional section

41

rufen	to call
die Tankstelle, -n	petrol station
der Teil, -e	*part*
das Telefonbuch, ⁼er	telephone directory
der Tipp, -s	tip
unterschiedlich	differing
der Zahnarzt, ⁼e	dentist
zahnärztlich	*dental*
die Zahnklinik, -en	dental clinic
der Zahnschmerz, -en	toothache
ärztlich	*medical*
echt	genuine

Seite 39

direkt	directly
der Eingang, ⁼e	entrance
jemand	somebody
los·fahren	to set off
manche	some
das Medikament, -e	medication
die Notrufzentrale, -n	*emergency call exchange*
das Symbol, -e	symbol
der Unfallort, -e	accident scene
verletzt	injured
die Verletzung, -en	wound
der W-Satz, ⁼e	*sentence starting with an interrogative*

Lektion 11

Seite 40

die Blume, -n	flower
die Straßenbahn, -en	tram
die U-Bahn, -en	underground railway
unterwegs	on the move

Seite 41

hin·fallen	*to fall over*
schließlich	finally
zurück·kommen	to come back

Seite 42

fremd	strange
geradeaus	straight on
die Nähe (nur Sg.)	vicinity
rechts	right
der Stadtplan, ⁼e	street map
der Weg, -e	way

Seite 43

erklären	to explain
legen	to lay
der Marktplatz, ⁼e	market-place

weit	far
zu Fuß	on foot

Seite 44

die Ampel, -n	traffic-lights
der Baum, -̈e	tree
die Bushaltestelle, -n	bus-stop
das Flugzeug, -e	aeroplane
hinter	behind
der LKW = Lastkraftwagen, -	lorry
der Parkplatz, -̈e	parking-place

Seite 45

beginnen	to begin
beste	best
die Bücherei, -en	bookshop
der Film, -e	film
das Filmmuseum, -museen	*film museum*
fliegen	to fly
die Fußgängerzone, -n	pedestrianized zone
der Nachbar, -n	neighbour (male)
die Nachbarin, -nen	neighbour (female)
okay	okay

Seite 46

das Café, -s	café
ein·schlafen	*to fall asleep*

Seite 47

die Abfahrt, -en	*departure*
ab·fliegen	to depart (by plane)
der Abflug, -̈e	*take-off*
ab·holen	to pick up
an·kommen	to arrive
der Ausgang, -̈e	exit
aus·steigen	*to get off*
die Durchsage, -n	announcement
ein·steigen	to get on
der Fahrplan, -̈e	timetable
der Flug, -̈e	flight
der Flughafen, -̈	airport
die Flugnummer, -n	flight number
der Flugzeugtyp, -en	*type of plane*
das Gepäck (nur Sg.)	luggage
das Gleis, -e	platform
die Haltestelle, -n	stop
Hbf. = der Hauptbahnhof	main station
die Info, -s	information
der Plan, -̈e	plan
pünktlich	on time
das Reisebüro, -s	travel agency
der Schalter, -	ticket-window
täglich	*daily*
das Ticket, -s	ticket
um·steigen	to change (trains, etc.)
die Verspätung, -en	delay

Seite 48

ab·fahren	to depart
der Anschluss, ⸚e	connexion
der Bahnsteig, -e	platform
drüben	over there
hin und zurück	*return*
hinauf	*up*
hinten	behind
der Imbiss, -e	*snack*
der Kiosk, -e	kiosk
die Station, -en	station
die Treppe, -n	stairs
vorn(e)	in front

Seite 49

der Dativ, -e	*dative*
die Orientierung, -en	*orientation*

Seite 50

die S-Bahn, -en	S-Bahn (urban railway network)
vorbei	past

Seite 51

die Buchhandlung, -en	bookshop
hinein	*in*

der Refrain, -s	*refrain*
ziemlich	rather

Lektion 12

Seite 52

funktionieren	to function
die Gebrauchsanwei-sung, -en	instructions for use
der Kundenservice, -s	customer service
der Service, -s	service
die Steckdose, -n	socket
der Stecker, -	plug

Seite 53

das Licht, -er	light
reparieren	to repair
stecken	to stick
vergessen	to forget

Seite 54

die Innenstadt, ⸚e	city centre
das Konzert, -e	concert
die Konzertkarte, -n	concert ticket
das Programm, -e	programme

der Schulausflug, ⸚e	school trip
der Spaziergang, ⸚e	walk
die Stadtrundfahrt, -en	*city tour*

Seite 55

bis später	see you later
der Drucker, -	printer
die Garantie, -n	guarantee
das Gerät, -e	appliance
das Modell, -e	*model*
die Reparatur, -en	repair
der Techniker, -	technician
die Viertelstunde, -n	quarter of an hour

Seite 56

an·machen	*to switch on*
auf·machen	*to open*
der Bleistift, -e	pencil
die Briefmarke, -n	postage stamp
buchen	to book
das Faxgerät, -e	fax machine
das Feuer, -	fire
der Ober, -	*waiter*
die Rechnung, -en	bill
schicken	to send
unfreundlich	unfriendly
verschicken	*to send off*

Seite 57

der Akku, -s	*battery*
aus·schalten	*to switch off*
benutzen	to use
drücken	to press
ein·legen	*to insert*
ein·schalten	to switch on
ein·setzen	to insert
fest	definite
die Geheimnummer, -n	secret number
heraus·nehmen	*to take out*
die Homepage, -s	*home-page*
nichts zu danken	*don't mention it*
die Rückseite, -n	*reverse*
der Schritt, -e	step
die Sekunde, -n	second
die Serviceleistung, -en	*help from the service department*
die Service-Mitarbeiterin, -nen	*service employee (female)*
die SIM-Karte, -n	*SIM card*
der SIM-Kartenhalter, -	*SIM cardholder*
die Taste, -n	button
tragen	to carry
z. B. = zum Beispiel	e.g. (= for example)

Seite 58

der Anrufbeantworter, -	answerphone, answering machine/service
die Ansage, -n	announcement
die Autovermietung, -en	*car-hire*
das Band, ̈er	*tape*
besonders	especially
lustig	amusing
die Privatperson, -en	*private individual*
der Reparaturdienst, -e	*repair service*
reservieren	to reserve
die Telefonansage, -n	*telephone announcement*
das Versandhaus, ̈er	*mail-order firm*
zurück·rufen	to call back

Seite 59

an·bieten	to offer
die Aufforderung, -en	request
die Beschwerde, -n	*complaint*
höflich	polite
der Konjunktiv, -e	*subjunctive*

Seite 60

aller Art	*of all kinds*
die Arbeitsteilung (nur Sg.)	*division of labour*
die Dienstleistung, -en	*service*
der Finanzservice, -s	*financial service*
die Hausaufgabenhilfe, -n	*help with homework*
der Kochservice, -s	*help with cooking*
die Krankenpflege (nur Sg.)	*nursing*
das Motivationstraining (nur Sg.)	*motivational training*
rund um die Uhr	*round the clock*
die Servicefirma, -firmen	*service firm*
der Servicekunde, -n	*service customer*
der Taxiservice, -s	*taxi service*
das UFO = das unbekannte Flug-Objekt	*UFO = unidentified flying object*
und vieles mehr	*and much more*
der Wäscheservice, -s	laundry service
wenig	little
der Zimmerservice, -s	*room service*

Seite 61

die Deutschaufgabe, -n	*German homework*
die Hose, -n	trousers
leihen	to lend
meistens	mostly
na ja	*well*
der Sportplatz, ̈e	sports ground
die Tomatensoße, -n	tomato sauce
unglücklich	unhappy

46

Lektion 13

der Gürtel, -	*belt*
das Hemd, -en	shirt
die Jacke, -n	jacket
das Kleid, -er	dress, here: clothes (= Kleidung)
der Pullover, -	pullover
der Schuh, -e	shoe
das T-Shirt, -s	T-shirt
zufrieden	satisfied

Seite 63

das Kleidergeschäft, -e	clothing store
die Kleidung (nur Sg.)	clothing

Seite 64

die Bluse, -n	blouse
günstig	favourable
der Mantel, ̈	coat
der Rock, ̈e	skirt
sieh mal!	look at that!

Seite 65

die Brille, -n	glasses
euch	you (familiar plural)
die Größe, -n	size
die Mutti, -s	*mum*

Seite 66

beide	both
die Geige, -n	*violin*
geigen	*to play the violin*
das „Guinnessbuch der Rekorde"	*Guinness Book of Records*
herzlichen Glückwunsch	congratulations
km = der Kilometer, -	km = kilometre
lieber	rather
am liebsten	most of all
der Musiker, -	musician
na dann	*well then*
nach·machen	to imitate
der Rekord, -e	record
rückwärts	backwards
trainieren	to train
vorwärts	forwards
der Weltrekord, -e	*world record*

Seite 67

an·ziehen	to put on
das Fundbüro, -s	lost-property office
der Koffer, -	case
schauen	to look

der Schlüssel, -	key
die Tasche, -n	bag
weg	gone

Seite 68

an·probieren	*to try on*
das Erdgeschoss,-e	ground floor
die Jeans, -	jeans
das Kaufhaus, ̈er	department store
das Obergeschoss, -e	upper floor
die Kosmetik, -a	*cosmetics*

Seite 69

die Damenkleidung (nur Sg.)	*ladies' clothing*
das Demonstrativpronomen, -	*demonstrative pronoun*
der Frageartikel, -	*interrogative pronoun*
die Komparation, -en	*comparison*
der Komparativ, -e	*comparative*
der Superlativ, -e	*superlative*

Seite 70

das Blatt, ̈er	sheet
blond	blond
der Farbstift, -e	*coloured crayon*
die Haarfarbe, -n	hair-colour
der Klebstoff, -e	*adhesive*

die Schere, -n	scissors
vor·stellen	*to introduce*

Seite 71

(sich) bedanken	to thank
das Kompliment, -e	compliment
der Lerner, -	learner
das Model, -s	model

Lektion 14

Seite 72

das Bleigießen (nur Sg.)	*lead-casting (a New Year's Eve game)*
der Karneval, -s/-e	*carnival*
das Neujahr (nur Sg.)	New Year
Prost Neujahr!	*Happy New Year!*
das Silvester, -	New Year's Eve
die Silvesterparty, -s	New Year's Eve party
das Weihnachten, -	Christmas

Seite 73

der Ehering, -e	*wedding ring*
kommen (nach)	to come (to)
die Note, -n	mark

Seite 74

auf·stellen	*to set up*
die Gartenparty, -s	garden party
die Geburtstags-Liste, -n	*birthday-list*
der Kalender, -	calendar
der Nikolaus, -̈e	*St Nicholas (Santa Claus)*
der Nikolaustag, -e	*St Nicholas's day*

Seite 75

eilig	in a hurry
lieben	to love
das Ratespiel, -e	*guessing-game*
die Sache, -n	thing
verstecken	to hide
wieder·finden	to find again

Seite 76

fit	fit
die Geburtstagseinladung, -en	birthday invitation
klappen	to work out
(sich) kümmern	to concern oneself
laufen	to run
die Meinung, -en	opinion
reisen	to travel
der Spaß, -̈e	fun
unwichtig	unimportant
viel Spaß	have a good time

Seite 77

anschließend	*afterwards*
die Gaststätte, -en	restaurant
das Grillfest, -e	grill-party
der Grund, -̈e	reason
das Mitglied, -er	member
nennen	to name
sorgen (für)	to take care of
der Sportpark, -s	*sports park*
statt·finden	to take place
der Vorstand, -̈e	*committee (member)*

Seite 78

alles Gute	all the best
an·heften	*to attach*
der Ausdruck, -̈e	expression
bestehen	to pass (exam)
dreimal	three times
der Erfolg, -e	success
frohe Ostern	happy Easter
frohes Fest	happy holiday
der Glückwunsch, -̈e	congratulation
gratulieren	to congratulate
gutes neues Jahr	Happy New Year
herzlich	cordial
der Kursraum, -̈e	*class-room*
das Lebensjahr, -e	*year in a person's life*

das Osterei, -er	Easter egg
der Osterhase, -n	Easter rabbit
die Prüfung, -en	exam
die Rakete, -n	rocket
der Sekt, -e	Sekt (German champagne)
umher·gehen	to go around
viel Glück	all the best
der Weihnachtsbaum, ¨e	Christmas tree
der Weihnachtsmann, ¨er	Father Christmas
frohe Weihnachten	Happy Christmas
das Ostern, -	Easter

der Prinz, -en	prince
die Prinzessin, -nen	princess
das Reiseangebot, -e	travel offer
das Septemberfest, -e	September festival
die Septemberwoche, -n	week in September
der Tag der Deutschen Einheit	Day of German Unity
die Theresienwiese	Theresienwiese (a park in Munich)
unbedingt	at all costs
die Wies'n	meadow (Bavarian dialect form), here: October festival

Seite 79

die Absage, -n	refusal
der Akkusativ, -e	accusative
die Konjunktion, -en	conjunction
die Ordinalzahl, -en	ordinal number
die Zusage, -n	acceptance

Seite 80

bayerisch	Bavarian
(das) Bayern	Bavaria
besetzt	occupied
das Brathähnchen, -	roast chicken
etwa	around
der König, -e	king
der Nationalfeiertag, -e	national holiday
das Oktoberfest, -e	October festival

Arbeitsbuch

Lektion 8

Seite 86

der Transport, -e	transport

Seite 87

achten	*to watch out (for)*
das Herkunftsland, ⸚er	country of origin

Seite 88

mexikanisch	*Mexican*

Seite 89

(das) Pakistan	*Pakistan*

Seite 90

der Besuch, -e	visit
(das) Nordamerika	*North America*
das Schiff, -e	ship
das Schulfest, -e	school festival
(das) Südamerika	*South America*
(sich) verlieben	to fall in love

Seite 91

die Katze, -n	cat
die Ostsee (nur Sg.)	Baltic Sea

Seite 92

Fa. = die Firma, die Firmen	firm
die Ferien (nur Pl.)	holidays
flexibel	flexible
der Gärtner, -	*gardener (male)*
die Gärtnerin, -nen	*gardener (female)*
die Haushaltshilfe, -n	*domestic help*
die Immobilienverwal- tung, -en	*real estate management*
n. V. = nach Vereinbarung	*by appointment*
die Pflanze, -n	plant
die Reinigungskraft, ⸚e	*cleaner*
400-Euro-Basis	*400-euro basic wage*
wöchentlich	weekly
FS Kl. 3 = Führerschein Klasse 3	*class 3 driving-licence (term corresponding with "class B" today)*

Lektion 9

Seite 97

der Dialog, -e	dialogue

51

Seite 98

streichen	to delete

Seite 99

das Comic-Heft, -e	*comic book*
nee	*no*

Seite 101

definitiv	*definitive*

Seite 102

bisher	*previously*
der Geburtstagskalender, -	birthday calendar
die Jahreszeit, -en	season

Seite 103

herunter·laden	to unload
schwierig	difficult
das Ummeldeformular, -e	*form for notifying change of address*

Lektion 10

Seite 106

der Zahn, ⁻e	tooth

Seite 107

guck mal!	look at that!

Seite 108

(das) Armenien	*Armenia*
(das) Kanada	*Canada*
die Kanadierin, -nen	*Canadian (female)*

Seite 110

(sich) bewegen	*to move*
deshalb	*therefore*

Seite 112

her·hören	*to listen*
das Lieblingsessen, -	favourite meal
der Multivitaminsaft, ⁻e	*multi-vitamin juice*

Seite 113

der Augenarzt, ⁻e	*ophthalmologist*
das Gesundheitsamt, ⁻er	public health department
der Praktische Arzt, ⁻e	*GP (= general practitioner)*
der Terminplan, ⁻e	appointments plan
was für ein-	what kind of

Lektion 11

Seite 118

die Brücke, -n	*bridge*
das Kreuzworträtsel, -	*crossword puzzle*

Seite 120

die Disco, -s	disco

Seite 121

das Aspirin (nur Sg.)	*aspirin*
die Lust (Sg.)	desire

Seite 123

die Anfrage, -n	*request for information*
die Auswahl (nur Sg.)	*choice*
der Autozug, ⁻e	*motorail train*
die Bahn, -en	railway
begrenzt	restricted
die Bemerkung, -en	remark
die Dauer (nur Sg.)	*duration*
dauern	to last
die DB = Deutsche Bahn	*German railways*
die Detailansicht, -en	*detailed overview*
entwerten	to cancel
die Fahrradmitnahme, -n	*transporting bicycles*
die Fahrt, -en	*journey*

der Fahrtantritt, -e	*embarcation*
die Flugauskunft, ⁻e	flight information
der InterCity, -s	intercity
der InterCityExpress, -	intercity express
der Konzern, -e	*concern*
möglich	possible
der Nachtzug, ⁻e	*night train*
persönlich	personal
die Presse (nur Sg.)	*press*
prüfen	to check
der Regionalexpress, -züge	*regional express*
die Reiseauskunft, ⁻e	travel information
reservierungspflichtig	*reserved seats only*

Seite 124

die Ecke, -n	corner
die Linie, -n	line
die Richtung, -en	direction
der Schlossgarten, ⁻	castle garden
die Straßenbahnhalte-stelle, -n	tram-stop

Seite 125

der Fahrausweis, -e	*ticket*
der ICE = InterCityExpress	inter-city express
Kontrollnr. = die Kontroll-nummer, -n	*control number*

normal	normal
öffentlich	public
der Ring, -e	ring
der Schnellbahnplan, ̈e	*city network plan*
der Sparpreis, -e	*saver price*
das Verkehrsmittel, -	means of transport
der Verkehrsverbund, -e	*interconnecting transport system*

Lektion 12

Seite 128

joggen	to jog
die Mittagspause, -n	lunch-break

Seite 129

duschen	to shower
fast	almost

Seite 130

wieder·sehen	to see again

Seite 131

zu Besuch	on a visit
die Kaffeemaschine, -n	coffee-machine

Seite 133

die Balkontür, -en	*balcony door*

Seite 134

babysitten	to babysit
bes. = besonders	*especially*
der Clown, -s	*clown*
das Erlebnis, -e	experience
erledigen	to deal with
das Familienfest, -e	family party
das Firmenfest, -e	office party
liefern	to provide
die Mobil-Disco, -s	*mobile disco*
das Netzwerk, -e	*network*
die Pauschalpreisreparatur, -en	*inclusive call-out charge*
der PC = Personalcomputer, -	*PC = personal computer*
der PKW = Personenkraft- wagen, -	private car
preiswert	bargain-price
spezialisiert	*specialized*
der Spezialist, -en	specialist
streiken	to strike

Seite 135

das Branchenbuch, ̈er	*classified directory*
die Buchstabenkette, -n	*chain of letters*

die Gelben Seiten (nur Pl.)	*yellow pages*
die Kindertagesstätte, -n	*day nursery*
der Kundendienst, -e	customer service
das Stichwortverzeichnis, -se	*index*
das Thema, die Themen	subject
verlieren	to lose
der Wohnungsschlüssel, -	key to the flat

Lektion 13

Seite 138

hellblau	light blue

Seite 139

gesund	healthy

Seite 141

der Blumenstrauß, ̈-e	*bouquet of flowers*
ersetzen	to replace
das Kochbuch, ̈-er	cookery book

Seite 142

das Fitness-Center, - (engl.)	fitness centre
der Kasten, ̈	box
die Radtour, -en	bicycle tour

Seite 143

(das) Belgien	*Belgium*
das Gulasch (nur Sg.)	*goulash*
der Regenschirm, -e	umbrella
der Westen (nur Sg.)	West

Seite 144

eng	tight
die Sportkleidung (nur Sg.)	sportswear
zusammen·passen	to go with one another

Seite 145

die Baseballcap, -s (engl.)	*baseball-cap*
der Fan-Shop, -s (engl.)	*fan-shop*
der FC Bayern	*FC Bayern (name of football club)*
der Fotoapparat, -e	camera

Lektion 14

Seite 148

der Ferientermin, -e	*holiday date*
das Pfingsten, -	*Whitsuntide*
die Schulferien (nur Pl.)	school holidays
das Sommerfest, -e	summer party

Seite 149

mit·gehen	to go along
sympathisch	likeable

Seite 150

der Champagner, -	*chanpagne*
die Mitternacht (nur Sg.)	midnight
die Weintraube, -n	*grape*

Seite 151

genug	enough

Seite 152

organisieren	to organize
wünschen	to wish

Seite 153

die Cafeteria, -s und die Cafeterien	*cafeteria*
der Feiertag, -e	public holiday
frohe Feiertage	*happy holidays*
der Punkt, -e	point
die Weihnachtsfeier, -n	Christmas celebration
der Weihnachtsfeiertag, -e	Christmas holiday
zu Abend essen	to dine

Seite 156

der Körperteil, -e	*part of the body*
üben	to practise
die Wiederholungs-station, -en	*stage in revision*

Seite 157

der Pulli, -s	*pullover*

Seite 158

das Fußballspiel, -e	football match
zweieinhalb	two-and-a-half

Seite 159

der Ski, -er	ski

Seite 160

die Vokabel, -n	*word*

Seite 161

die Deutsch-Prüfung, -en	German exam
der Unterschied, -e	difference

Seite 163

hin·fahren	*to drive there*

Fokus-Seiten

Seite 164

ab·sprechen	to arrange
an·nehmen	to accept
der Arbeitsplan, -̈e	plan of work
der Auftrag, -̈e	task
die Lösung, -en	solution
mehrere	several

Seite 165

die Aufgabenverteilung (nur Sg.)	distribution of tasks
das Dessert, -s	dessert
die Einkaufsliste, -n	shopping-list
die Essenausgabe, -n	distribution of meals
die Kantine, -n	canteen
der Küchenchef, -s	chef
die Praktikantin, -nen	trainee (female)
das Praktikum, die Praktika	practical training
das Team, -s (engl.)	team
verantwortlich	reponsible
zuständig	reponsible

Seite 166

der Absatz, -̈e	paragraph
der Paragraf, -en	paragraph
recht haben	to be right
die Sozialwohnung, -en	council flat
das Wohnungsamt, -̈er	housing office

Seite 167

der Automat, -en	machine
ein·tippen	to key in
ein·werfen	to insert
der Getränkeautomat, -en	drinks dispenser
heraus	out
der Parkschein, -e	parking ticket
der Parkscheinautomat, -en	parking ticket machine
die Parkzeit, -en	parking time
stempeln	to stamp

Seite 168

allergisch	allergic
die Atemnot (nur Sg.)	breathing difficulty
der Beipackzettel, -	instruction leaflet (for medication)
der Bluthochdruck (nur Sg.)	high blood pressure
durch·lesen	to read from beginning to end
die Einzeldosis, -dosen	individual dose
die Hals- und Rachen-Lutsch-tablette, -n	throat lozenge
die Haut, -̈e	skin

die Heiserkeit (nur Sg.)	hoarseness
husten	to cough
die/der Kranke, -n	patient
lassen	to let
die Lutschtablette, -n	lozenge
die Nebenwirkung, -en	side-effect
die Reaktion, -en	reaction
die Schleimlösung, -en	loosening phlegm
schwanger	pregnant
stillen	to breast-feed
die Tagesgesamtdosis, -dosen	total daily dose
zergehen	to melt

Seite 169

die Baustelle, -n	building site
der Haarschutz (nur Sg.)	hair-protection
der Handschuh, -e	glove
das Lager, -	camp
die/der Pantomime, -n	mime
die Sicherheitsmaßnahme, -n	safety precaution
der Gehörschutz (nur Sg.)	ear-muff

Seite 170

auf·passen	to look after
die Betreuungsein-richtung, -en	child-care establishment
der Hortplatz, ¨e	place in a day-home

Seite 171

aus·drucken	to express
aus·leihen	to borrow
das Bürgerbüro, -s	citizens' advice bureau
das Busticket, -s	bus-ticket
der Copyshop, -s (engl.)	copy-shop
der Drogeriemarkt, ¨e	chemist's shop
die Einrichtung, -en	institution
das Fotogeschäft, -e	photographer's
das Handyfoto, -s	mobile-phone photograph
hin·gehen	to go (to a place)
das Internetcafé, -s	internet café
kopieren	to copy
leicht	easy
das Rathaus, ¨er	town hall
die Stadtbücherei, -en	town library
der Zeitungskiosk, -e	newspaper kiosk

Seite 172

bar	in cash
Buch.-Nr. = die Buchungs-nummer, -n	entry number
Buch.-Tag = der Buchungs-tag, -e	entry day
die Buchungsinformation, -en	entry information
der EC-Automat, -en	cash-dispenser
die EC-Karte, -n	EC card
die EC-Kartenzahlung, -en	paying by EC card

entnehmen	to withdraw
das Gehalt, ¨er	salary
der Kontostand, ¨e	balance
Rechnungsnr. =	invoice number
die Rechnungsnummer, -n	
überweisen	to transfer
die Überweisung, -en	transfer
der Vorgang, ¨e	event

Seite 173

ab·brechen	to cancel
ab·heben	to withdraw
automatisch	automatically
die/der Bankangestellte, -n	bank clerk
die Benachrichtigung, -en	notification
der Betrag, ¨e	amount
der Dauerauftrag, ¨e	standing order
das Depot, -s	safe-deposit
die Depotführung, -en	safe-deposit management
ein·fügen	to insert
ein·richten	to set up
ein·zahlen	to pay in
eröffnen	to open
der Firmenkunde, -n	business customer
der Geldautomat, -en	cash dispenser
der Geschäftskunde, -n	business customer
das Intervall, -e	interval
jeweils	in each case

die Kontoführung, -en	account management
die Kundenberatung, -en	customer advice
die PIN = personal identifi-	PIN
cation number	
der Privatkunde, -n	private customer
die TAN	TAN
das Überweisungsfor-	money transfer form
mular, -e	
die Verwaltung, -en	administration
der Verwendungszweck, -e	purpose
virtuell	virtual
die Ausführung, -en	implementation

Seite 174

aushandeln	to negotiate
die Boutique, -n	boutique
der Fahrradhelm, -e	cycling helmet
der Fleck, -en	stain
die Jogginghose, -n	jogging trousers
der Knopf, ¨e	button
der Kratzer, -	scratch
der Preisnachlass, ¨e	price-reduction
das Prozent, -e	percent
der Rabatt, -e	discount
das Saisonende (nur Sg.)	end of season
schick	chic
der Turnschuh, -e	gym shoe
der Helm, -e	helmet

Seite 175

der Arbeitsunfall, -̈e	accident at work
die Augenverletzung, -en	eye injury
die Beinverletzung, -en	leg injury
der Betrieb, -e	firm
der Chemiker, -	chemist
die Fußverletzung, -en	foot injury
die Handverletzung, -en	hand injury
häufig	frequent
die Hautverletzung, -en	skin injury
die Kopfverletzung, -en	head injury
der Schutz (nur Sg.)	protection
der Schutzanzug, -̈e	protective clothing
die Schutzausrüstung, -en	protective equipment
die Schutzbrille, -n	protective spectacles
schützen	to protect
der Schutzhandschuh, -e	protective gloves
der Schutzhelm, -e	protective helmet
die Schutzkleidung (nur Sg.)	protective clothing
der Sicherheitsschuh, -e	safety shoe

Seite 176

miteinander	with one another
sogar	even

Seite 177

aus·sprechen	to pronounce
die Versicherungskauf- frau, -en	insurance saleswoman